Grobec et Mira ne sont pas d'accord.
« Je veux faire la course !, dit Grobec.
– Je veux faire de la trottinette !, déclare Mira.
– Je suis le roi, on fait ce que je dis, moi ! », dit Flocon, grognon.

Si c'est comme ça, Grobec et Mira ne jouent pas.
Flocon est triste, il ne voulait pas se fâcher, il voulait juste décider.
« Finalement, être roi, ce n'est pas si amusant », se dit-il.
Mais l'ourson a une idée qui pourrait tout changer…

Flocon va voir ses copains et propose : « Si on faisait la course en trottinette ? Mais si j'en attrape un, c'est lui le chat ! ». Grobec et Mira sont ravis : Flocon est vraiment très gentil et, surtout, il ne peut pas se passer de ses deux bons amis.

Texte d'Aurélie Vigne.
Illustrations de Frédéric Stehr.

Le bon roi Dagobert

Le bon roi Dagobert
Avait sa culotte à l'envers.
Le grand saint Éloi
Lui dit : « Ô mon roi !
Votre Majesté
Est mal culottée.
– C'est vrai, lui dit le roi,
Je vais la remettre à l'endroit ».

joue avec tes autocollants

Choisis le pantalon que tu préfères et habille le roi Dagobert !

Illustration d'Amélie Falière.

La nouvelle élève

Dans la classe aujourd'hui, il y a une nouvelle élève.
« Je vous présente Pénélope !, dit la maîtresse. Elle vient d'arriver,
alors je compte sur vous pour l'aider. » Sur le banc, Hugo se pousse
pour laisser de la place à Pénélope. Pénélope est un peu timide
et Hugo rougit. Assis l'un à côté de l'autre, ils n'osent pas se regarder.

Après la lecture, la maîtresse demande à Hugo de faire visiter la classe à Pénélope.
Hugo lui montre d'abord le coin où l'on affiche les dessins.
« Là, c'est le mien ! », dit-il en montrant un lutin.

Puis il indique à Pénélope où se trouvent les toilettes et, en passant par l'espace jeux, lui fait admirer les cubes et la dînette.

En apercevant le portemanteau, Pénélope fouille dans son sac à dos.
« Regarde mon hibou, dit Pénélope.
– Moi, j'ai un dino », dit Hugo en sortant lui aussi son doudou.
Le dinosaure et le hibou se font des coucous, lorsque soudain...
Dring ! L'heure de la récré a sonné.

Hugo entraîne Pénélope dans la cour. Ensemble, ils jouent à trape-trape et à saute-mouton. Très vite, ils sont rejoints par Léonie et Valentin.

HOP !

HOP !

À la fin de la récré, pour se mettre en rang, Hugo attrape la main de Pénélope et lui dit : « Suis-moi, je vais te montrer la cantine ! ».

Dans la classe aujourd'hui, Hugo a laissé un peu de place à côté de lui… et il a trouvé une nouvelle amie.

Texte d'Emmanuelle Cabrol.
Illustrations de Juliette Boulard.

Les jeux de la maison

1. Trouve Léon le maçon : il porte
un pantalon bleu et un tee-shirt blanc.
2. Aide-le à construire le mur en **collant** les briques manquantes.

3. Le toit est presque fini. À toi de tracer les dernières tuiles.

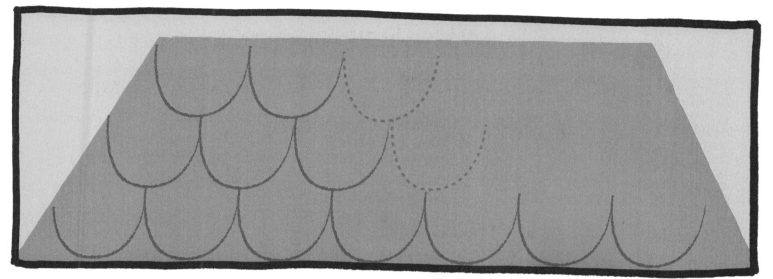

4. Trouve le volet identique parmi tes **autocollants**
et place-le à côté de la fenêtre.

5. Avec tes **autocollants**, termine de décorer la maison.
6. Amuse-toi à dessiner un arbre
et des fleurs dans le jardin.

Abonnez votre enfant !

Pour jouer avec les images et les mots !

12 nᵒˢ de Toupie
+ 4 nᵒˢ Chansons avec CD audio

? nᵒˢ par an

l'accès offert à **BayaM** Découverte
Le site éducatif et ludique

EN CADEAU
Le tapis de jeu "2 en 1"
À la fois tapis de jeu et range-tout !

Dim. : Ø 110 cm

Mon code promotion : **A172818**

---

ui, j'abonne mon enfant à **toupie**

- le tapis de jeu "2 en 1" **EN CADEAU**
- l'accès à **BayaM** Découverte **OFFERT**

2 nᵒˢ **62 €**/an au lieu de **71,40 €** (13 % d'économie*)

2 nᵒˢ + 4 nᵒˢ Chansons **82 €**/an au lieu de **96,20 €**
5 % d'économie*)

▶ PAR INTERNET
www.milan-abo.com/magazine

▶ PAR TÉLÉPHONE
0 826 20 40 40
Du lun. au ven. 8h30-19h - sam. 9h-18h (0,15 €/min)
L'abonnement simple, rapide et sécurisé paiement par carte bancaire

▶ PAR COURRIER
Paiement par chèque bancaire avec ce bon d'abonnement à l'ordre de
Milan Presse - Service abonnements - B150 - 60643 Chantilly

MES COORDONNÉES ☐ Mlle ☐ Mme ☐ M.

PRÉNOM

NOM

NUMÉRO   COMPLÉMENT D'ADRESSE (RÉSIDENCE, ESC., BÂT.)

RUE / AV. / BD / CH. / IMP. Indiquez précisément le nᵒ de voie et le libellé de voie pour une meilleure garantie de l'acheminement de votre abonnement.

LIEU-DIT / B.P.

CODE POSTAL   COMMUNE

Nᵒ DE TÉLÉPHONE

E-MAIL Précisez votre adresse mail afin que nous puissions, conformément à la loi, vous adresser votre récapitulatif de commande.

LES COORDONNÉES DE L'ENFANT

PRÉNOM

NOM

NUMÉRO   COMPLÉMENT D'ADRESSE (RÉSIDENCE, ESC., BÂT.)

RUE / AV. / BD / CH. / IMP. Indiquez précisément le nᵒ de voie et le libellé de voie pour une meilleure garantie de l'acheminement de votre abonnement.

LIEU-DIT / B.P.

CODE POSTAL   COMMUNE

DATE DE NAISSANCE DE L'ENFANT Pour recevoir des offres exclusives pour son anniversaire.   SEXE ☐ F ☐ M

Manon

La course des ours

Mais la luge est trop petite, voyons !

On a besoin de toi, Maman Ourse.

Collez ! Le premier en bas a gagné la course !

Texte de Gérard Moncomble. Illustrations de Nadine Rouvière.
Retrouve Manon en librairie (éditions Milan) et sur BayaM.

La patinoire

les gradins

la luge

la buvette

le tabouret

la balustrade

le patineur

le hockeyeur

la piste

les danseurs sur glace

la file indienne

Connais-tu Téou, le hamster coquin ? Il s'
Vite, trouve-le dans la patinoire.

18

Tes AUTOCOLLANTS
pour compléter la COMPTINE

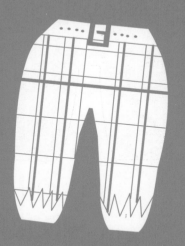

Tes AUTOCOLLANTS
pour compléter les JEUX

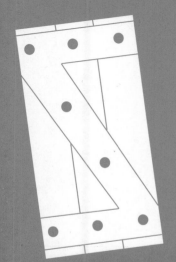
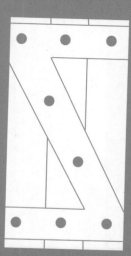
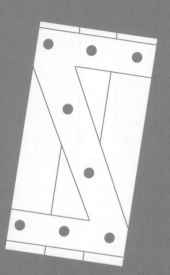

toupie

Tes AUTOCOLLANTS pour compléter la COMPTINE pages 6 et 7

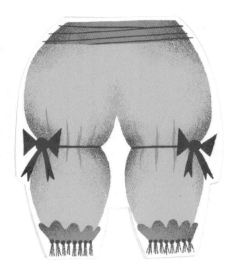

Illustrations d'Amélie Falière.

Tes AUTOCOLLANTS pour compléter les JEUX DE LA MAISON

jeu 2 page 12

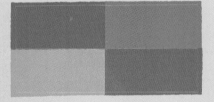

jeu 4 page 13

jeu 5 page 14

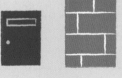

Illustrations d'Olivia Cosneau

Tes AUTOCOLLANTS pour compléter l'IMAGIER de TÉOU le HAMSTER

toupie

janvier 2014

Tes AUTOCOLLANTS pour compléter l'IMAGIER DE LA PATINOIRE pages 18, 19 et 20

le bonnet

la caisse

le patineur

le panneau

la file indienne

le tabouret

le banc

les patins à glace

le hockeyeur

jeu 1

jeu 2

Illustrations de Catherine Brus.

Crée ta cabane en pâtes !
Et participe au concours *toupie*

Explications et conditions de participation page 34.

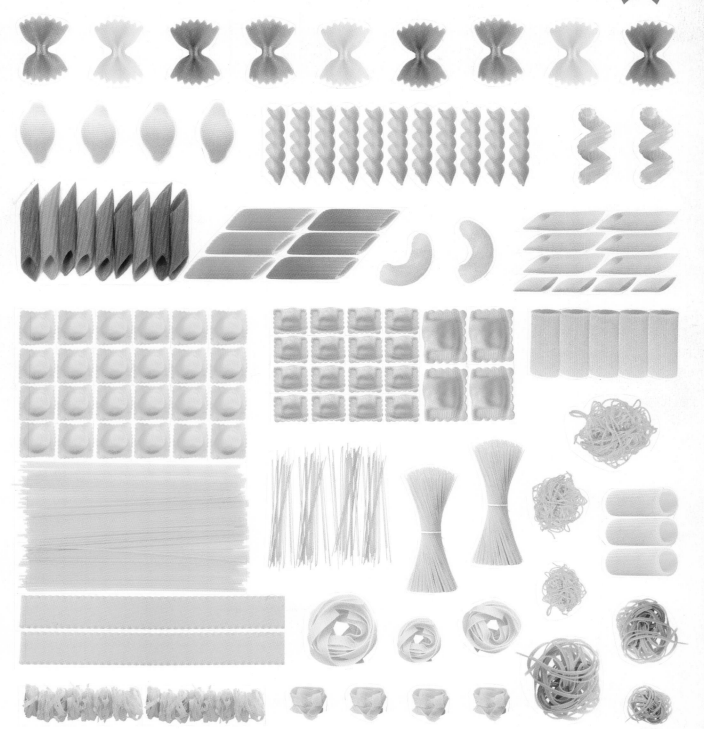

Tes AUTOCOLLANTS pour CRÉER ta CABANE EN PÂTES !

toupie

janvier 2014

le haut-parleur

l'horloge

les casiers

les toilettes

le vestiaire

la caisse

les patins à glace

le bonnet

le banc

la patineuse

le panneau

la surfaceuse

...chappé de sa cage et s'est caché dans l'image.
...mplète l'imagier avec tes autocollants.

19

Les jeux de Téou le hamster

joue avec tes autocollants

1. Pour savoir ce que fait Téou, complète le puzzle avec tes autocollants.

Illustrations de Catherine Brus.

2. Colle dans les casiers des paires de patins pour qu'il y en ait autant que d'enfants.

Suis Monsieur Chat à travers
la *RUE DES MYSTÈRES* et découvre
ce qui se cache derrière chaque fenêtre.

Retrouve l'application
Rue des mystères
sur tablette Apple
et Android !

Rue des mystères

Meritxell Martí   Xavier Salomó

MiLAN

15,90 €

MiLAN

Le chien de traîneau vient d'endroits où il neige souvent et où il fait très froid : la Sibérie, le Groënland ou l'Alaska.

Le chien de traîneau est carnivore. La viande, il adore ! C'est aussi un mammifère : le chiot tète le lait de sa mère.

© Kadmy / iStockphoto.

Comme son ancêtre le loup, le chien de traîneau a de petites oreilles dressées, un pelage épais. Souvent, il hurle plutôt que d'aboyer.

AÎNEAU

© GlobalP/iStockphoto.

La course de traîneau à chiens est un sport. Mais dans les pays enneigés, des peuples l'utilisent comme moyen de transport.

© Dufresne/Arioka.

Les chiens sont attelés au traîneau pour le tirer. Les plus obéissants sont devant, et les plus costauds au plus près du traîneau !

Texte de Delphine Soury.
Illustrations de Pierre Caillou.

Il existe plusieurs races de chiens de traîneau. Les connais-tu ?

l'esquimau du Groënland

a

le malamute

c

le husky de Sibérie

b

le samoyède

d

a, b : © Labat/Rouquette/Arioka.
c : © GlobalP, d : A. Draghici/iStockphoto.

23

ÉLIOT et ZOÉ

LA RENTRÉE DES JOUETS

Les vacances de Noël sont finies. Éliot et Zoé doivent retourner à l'école. Oui mais voilà : pas question de se séparer de leurs jouets préférés !

À la maison, Noël semble déjà loin. Papa enlève même le sapin !
Pour les jumeaux, il est beaucoup trop tôt. Mais c'est entouré en rouge sur le calendrier : lundi 6 janvier, c'est la rentrée !

Le lendemain matin, Zoé n'est pas pressée. Elle donne ses céréales à Fourbi au lieu de les manger.

De son côté, Éliot construit pour la dixième fois son bateau pirate au lieu de s'habiller.

Papa dit : « Tic tac tic tac, l'école va bientôt fermer ! ».
Alors les jumeaux se dépêchent... d'entasser tous leurs jouets dans leur cartable à roulettes.

Maman dit : « Ah non, pas question ! Il faut tout laisser à la maison ».

Zoé demande : « Tout... tout ? ».

« Même N'a-qu'une-patte le pirate ? », s'écrie Éliot.

Comme Maman est pressée, elle dit : « D'accord, vous prenez un jouet chacun, mais juste un ». Youpi ! Les jumeaux embarquent N'a-q'une-patte et Fourbi. Les copains vont être aussi jaloux que des poux !

Mais, surprise... dans la classe, Éliot et Zoé ne sont pas les seuls
à avoir apporté un jouet. Arthur a un Pikatchoum caché dans
la manche... Et Clara a une sirène trop belle dans sa poche !

Dans la cour de récré, les jumeaux inventent des histoires :
« Le pirate est amoureux de la sirène... mais Pikatchoum éternue
et Fourbi s'envole... ». Décidément, les jouets ont bien fait d'aller à l'école !

Texte de Mathilde Lossel. Illustrations d'Yves Calarnou. D'après les personnages d'Agnès Cathala et d'Yves Calarnou.

TEMPÊTE SUR LA BANQUISE

Ce matin, quand Itouk, le petit Inuit, sort de son igloo, le soleil brille sur la banquise. « Je vais aller pêcher », déclare Itouk en attelant Ayok au traîneau. Le chien remue la queue, tout heureux d'emmener son maître à la pêche. « Trouve-moi un bon endroit plein de poissons ! », lui dit Itouk. Ayok s'élance et entraîne le traîneau en zigzag sur la glace.

Le chien suit son flair… et tout à coup, il s'arrête net : il a senti du poisson sous la banquise. Itouk commence à percer l'épaisse couche de glace. Ayok l'aide en creusant aussi avec ses pattes. À deux, le trou est vite terminé et Itouk lance sa ligne. Hop ! voilà un premier poisson. Et hop ! un autre poisson… et hop… hop… hop ! Ayok se lèche les babines. « Tiens, mon chien, tu as mérité ta part », dit Itouk en lui donnant un beau poisson.

Soudain, le chien hérisse le poil. Il a entendu des grognements inquiétants. C'est un ours qui s'approche pour voler les poissons ! Ayok se met à aboyer et court vers l'ours en montrant les crocs. L'ours s'éloigne.

« Bravo, Ayok !, s'écrie le petit Inuit. Cet ours n'a qu'à pêcher lui-même ! »

Mais voilà qu'un vent glacé se met à souffler. Itouk lève le nez et voit des nuages remplis de neige qui filent dans le ciel. Le petit Inuit s'inquiète : « Ces nuages galopent plus vite que des caribous ! ».

Itouk n'a pas le temps de rentrer, la tempête de neige le rattraperait.

eureusement, ses parents lui ont appris à se mettre à l'abri. Itouk retourne
son traîneau et se glisse dessous. Il appelle : « Ayok ! Ayok ! ».
Le chien ne vient pas. Le petit Inuit crie plus fort « AYOK ! AYOK ! »,
mais ses appels se perdent dans la tempête. Ayok a disparu ! Impossible
de partir à sa recherche maintenant. Avec les bourrasques de neige,
Itouk ne voit même plus le bout de ses pieds. Alors, pour se rassurer,
il fredonne la berceuse que sa maman lui chante souvent :
« À minuit, sur la banquise, tous les pingouins se font la bise ».

La tempête s'arrête enfin. Itouk sort de son refuge. Il regarde autour de lui
et ne voit que la banquise déroulant son grand tapis blanc :
« La neige a effacé toutes les traces », soupire Itouk. Comment retrouver Ayok ?
Et comment retrouver son igloo ? « Papa et Maman vont s'inquiéter »,
se dit le petit Inuit. Et il fredonne sa berceuse pour se sentir moins seul :
« À minuit, sur la banquise, tous les pingouins se font la bise ».
Des aboiements interrompent sa chanson.

touk voit arriver son papa en traîneau. Ayok court devant la meute de chiens pour indiquer le chemin. Puis il saute sur son maître pour lui faire la fête. « Ayok est venu me chercher dès que la tempête a commencé, c'est grâce à lui que je t'ai retrouvé », dit Papa.

Itouk serre son chien dans ses bras et lui murmure :

« Merci ! Je te donnerai le plus beau de mes poissons, promis ! ».

Sur le chemin du retour, bien au chaud dans le traîneau, Itouk fredonne une nouvelle chanson : « À midi, sur la banquise, un Inuit et son chien se font un gros câlin ».

FIN

Texte de Ghislaine Biondi. Illustrations de Claire Frossard.

Le petit monde de Toupie

Chers parents, les enfants du XXIe siècle ont des jeux bien différents de notre génération et nous sommes un peu perdus dans leur univers de poupées-monstres, de ninjas, de combat de toupies et autres univers fantastiques – que celui qui a compris le principe des cartes Pokémon m'écrive un mail immédiatement ! Mais il y a une chose qui n'a pas changé depuis le siècle dernier, c'est l'humour scatologique des enfants. « Caca boudin » faisait rire les enfants des années 1980, et fait toujours autant rire en 2014. Mais pourquoi cette fascination pour le pipi-caca ? L'intitulé paraît gaguesque et, pourtant, notre journaliste a bel et bien interviewé Harry Ifergan, psychologue et psychanalyste sur ce sujet. Alors si chaque phrase de votre bambin est ponctuée par le mot « prout », rendez-vous à l'adresse habituelle toupie-magazine.com/Le-coin-des-parents. Vous découvrirez que les apparences sont parfois trompeuses et que, si si, je vous le promets, c'est une phase normale du développement intellectuel de votre enfant. Un petit conseil de lecture pour finir : lisez *De la petite taupe qui voulait savoir qui lui avait fait sur la tête* (éditions Milan), le fou rire est garanti !

Émilie Bélard
e.belard@milan.fr

Nous avons adoré ton clown, **Éliot** !

Quel clown amusant, **Auxane** !

Super, ton clown jongleur, **Chloé** !

Belle acrobatie, bravo **Gaspard** !

À deux, c'est plus rigolo, merci **Eimeo** !

Retrouvez l'intégralité des dessins gagnants du concours « Crée ton clown » à l'adresse suivante : toupie-magazine.com

concours

Grâce à ta planche d'autocollants à détacher au centre du magazine, crée ta cabane de pâtes ! Les dix collages les plus originaux seront sélectionnés par les membres de la rédaction. Et les noms des gagnants seront publiés dans le numéro d'avril 2014.

À GAGNER :
10 figurines *Arty Toys* offertes par DJECO

Pour participer, envoie ta création avant le 31 janvier 2014 à :

Concours *Toupie* janvier 2014
Milan presse
300, rue Léon-Joulin
31101 Toulouse Cedex 9

N'oublie pas de préciser ton nom, ton prén ton adresse et ta date de naissance.

LES GAGNANTS DU CONCOURS D'OCTOBRE « CRÉE TON CLOWN » SONT : Gaspard BECQUART (Algérie), Éloïse BONCOMPAIN (43), Auxane BRAGER (48), Eimeo CHAPELLON (16), Éliot COQUARD (26), Chloé GILLOT (69), Simon GOCHEL (Belgique), Nathan KRZYZANOWKA (05) Arsène LE PORHIEL (75) et Zoé TRAPPIER (13).